# Marie-Lune

**1**

Je dépense
donc je suis

scénario
**Douyé**

dessin
**Yllya**

couleurs
**Fleur D.**

VENTS D'OUEST

Merci Sylvia pour la confiance, la liberté que tu m'as laissée et la patience
dont tu as fait preuve tout au long de cette aventure, la première d'une longue série
j'espère ! Merci à Fleur sans qui le petit monde de Marie-Lune aurait été bien fade.
Merci à Saboten pour m'avoir soutenue de toutes les manières possibles et imaginables,
je ne serais rien sans toi.
Merci à mes parents et à mes sœurs d'y avoir toujours cru.
À Minikim et Pop pour l'inspiration, l'assistance technique et les images. Merci à Paka,
Leamlu, Grelin, Kuru et Zouap, biz les copains ! Merci à Vanyda pour ses BD.
Merci à tous les lecteurs de mon blog (ahaha, vous vous y attendiez pas, hein ?)
Et enfin et surtout à ma Mamie, qui est partie bien trop tôt. Je ne t'oublie pas.

Yllya


Je remercie le dieu Internet de m'avoir montré le bon chemin : celui qui m'a menée tout droit sur le blog d'Yllya
Qu'il en soit infiniment loué !
Un milliard de mercis à Jacky pour ses relectures constructives et ses conseils avisés.
Je n'aurais pas rêvé meilleur conseiller artistique et script doctor pour mon premier album en solo.
Marie-Lune te doit beaucoup.

Douyé


Jacky, dis-moi vite combien je te dois ! Je peux te faire un chèque ?

Marie-Lune

Retrouve Marie-Lune sur sa page Facebook :
http://www.facebook.com/pages/Marie-Lune/35635638954

© 2009, Éditions Glénat / Vents d'Ouest
Couvent Sainte-Cécile,
37 rue Servan
38000 Grenoble

www.ventsdouest.com

 PEFC 10-31-2065 / Certifié PEFC / pefc-france.org

JE PEUX LE DIRE EN TOUTE MODESTIE : JE N'AI QU'UN SEUL DÉFAUT !

C'EST MA SŒUR JUMELLE : KA.

J'AI DU MAL À CROIRE QU'ELLE SOIT MA SŒUR, IL Y A SÛREMENT EU UN PROBLÈME À LA NAISSANCE...

OUPS... !

AÏE... J'ESPÈRE QUE LA PETITE N'AURA PAS DE SÉQUELLES !

BAM

COMME ELLES SONT MIGNONNES, CES PETITES JUMELLES !

SI ON ÉCHANGEAIT AVEC NOTRE BÉBÉ TOUT CABOSSÉ ?

PERSONNE NE VERRAIT LA DIFFÉRENCE !

DE TOUTES FAÇONS, JE SUIS SÛRE QUE KA N'EST SUR TERRE QUE POUR ME POURRIR LA VIE !

MARIE-LUNE, QUAND CESSERAS-TU DE TE COMPORTER COMME UNE RICHE HÉRITIÈRE ?

BEN... QUAND PAPA SERA RUINÉ !

T'AS VRAIMENT LE DON DE POSER DES QUESTIONS IDIOTES !

TU N'AS PAS HONTE DE DÉPENSER EN UN APRÈS-MIDI, LE SALAIRE MENSUEL D'UN OUVRIER ?

C'EST PAS L'ARGENT D'UN OUVRIER QUE JE DÉPENSE, C'EST LE MIEN !

OÙ EST LE PROBLÈME ?

PARFOIS MÊME, ELLE ME FAIT HONTE !

LE PROBLÈME, C'EST QUE TOUT CE FRIC ME DÉGOÛTE ! QUAND JE TE REGARDE AVEC TA TENUE DIAR, J'AI ENVIE DE VOMIR !!!

CE N'EST PAS DU DIAR, C'EST DU PADRA !

LA HONTE !!!

J'AI REVU LE MEC AU SUPER-PORTABLE.

TU LE SAVAIS, TOI, QUE CE MEC ÉTAIT LE NOUVEAU VENDEUR DE LA BOUTIQUE DE L'ÉCOLE ?

LE PAUVRE ! OBLIGÉ DE TRAVAILLER POUR VIVRE. QUELLE ANGOISSE !

JE NE L'AVAIS PAS BIEN REGARDÉ LA DERNIÈRE FOIS.

JE SENS QUE JE VAIS SOUVENT VENIR ICI, MOI...

ÉVIDEMMENT, Y'A PLEIN DE CHOSES GÉNIALES À ACHETER !

CE GARÇON EST TOUT À FAIT CHARMANT!

ENTREZ, MESDEMOISELLES, JE SERAIS RAVI DE VOUS RENSEIGNER !

COMME BEAUCOUP DE MECS, IL EST UN PEU DRAGUEUR...

ON NE S'EST PAS DÉJÀ RENCONTRÉS QUELQUE PART ?

AH BON ?...

TRÈS ORIGINAL !

... MAIS IL SAIT PARLER AUX FEMMES !

ÇA Y EST, JE ME SOUVIENS, VOUS VOULIEZ M'ACHETER MON TOKIA BFX-3G !

AH OUI, TU TE SOUVIENS DE NOUS ?

N'EMPÊCHE QUE TU AS REFUSÉ DE NOUS LE VENDRE, TON PORTABLE !

IL EST PLEIN DE PETITES ATTENTIONS DÉLICATES...

VOUS Y TENEZ TANT QUE ÇA ? JE VOUS L'OFFRE, SI ÇA VOUS FAIT PLAISIR...

EH BIEN VOILÀ, QUAND MÊME !

UN CADEAU ? C'EST CHOU !

IL EST TRÈS TRÈS BIEN ÉLEVÉ...

T'AS VU COMMENT IL M'A REGARDÉE ?

AU PLAISIR DE VOUS REVOIR, MESDEMOISELLES...

T'AS VU CE JOLI SAC À MAIN ?

QU'EST-CE QU'IL EST MIGNON !

MOUAIS...

JE SUIS SÛRE QUE JE LUI AI TAPÉ DANS L'ŒIL.

6

IL PARAÎT QU'IL Y A DES ÉCOLES OÙ LA BOUFFE EST INFECTE...

ICI, C'EST CANTINE TROIS ÉTOILES À CHAQUE REPAS.

... OÙ IL N'Y A PAS D'ACTIVITÉS SPORTIVES...

SUPER, TA NOUVELLE TENUE DE BAIN !

PFFF HI HI HI !

VOUS N'AURIEZ PAS VU AIGLE NOIR, MON PUR-SANG ALEZAN ?

... OÙ IL N'Y A PAS D'ESPACE "FORME ET BEAUTÉ"...

VOUS SAVEZ CE QU'IL M'A DIT, LE MASSEUR ?

NOOOOOON

RACONTE !

OUI, OUI...

... OÙ LA SALLE DE TÉLÉ EST MINUSCULE...

C'EST QUOI, LE PROGRAMME AUJOURD'HUI ?

LE NOUVEAU FILM DE CÉDRIC PLAKISH QUI SORT DANS UN MOIS, IL VIENT NOUS LE PRÉSENTER EN EXCLUSIVITÉ...

DANS MON ÉCOLE, LE SEUL TRUC VRAIMENT NUL, ARCHINUL...

C'EST QUE MA GARDE-ROBE NE SERT À RIEN !!!

... ET OÙ IL N'Y A MÊME PAS DE BOUTIQUES !!!

JE SUIS TROP LOVE DE CETTE TENUE ! JE LA PRENDS !

QU'EST-CE QU'ELLES ONT DE SI SPÉCIAL, CES GODASSES ?

MA PAUVRE KA ! TU NE COMPRENDRAS JAMAIS RIEN À RIEN ! POSSÉDER DES MALONO, C'EST LE LUXE SUPRÊME !

T'AS RAISON, MARIE-LUNE, TU NE DOIS PAS Y RENONCER !

PEUT-ÊTRE QUE SI JE PLIE MES DOIGTS DE PIEDS, ÇA RENTRERA...

OU ALORS ON COUPE LE BOUT POUR LAISSER DÉPASSER LE PIED !

OU ALORS TU CHOISIS UN AUTRE MODÈLE À TA TAILLE ! REGARDE CELLES-CI, ELLES SONT TRÈS BIEN ET BEAUCOUP MOINS CHÈRES...

C'EST BON, C'EST BON, J'ÉCRASE !

AVEC CE LUBRIFIANT, VOTRE PIED VA GLISSER DANS LA CHAUSSURE...

VOUS ME SAUVEZ LA VIE !

TOUTEFOIS, JE VOUS METS EN GARDE : 99% DE LA POPULATION SONT ALLERGIQUES À CE PRODUIT...

JE M'EN FOUS !

... ET J'AI BIEN PEUR QUE VOUS FASSIEZ PARTIE DU LOT !

OH MY GOD !

T'INQUIÈTE PAS, IL EXISTE DE TRÈS JOLIS MODÈLES EN 56 !

AU LIEU DE DIRE N'IMPORTE QUOI, APPELLE LES SECOURS ! VITE !

ALLÔ MORGANE ? JE VIENS DE DÉCOUVRIR UN MOYEN DE FAIRE GROSSIR LES SEINS SANS DÉBOURSER UN CENTIME EN CHIRURGIE ESTHÉTIQUE !

ÇA T'INTÉRESSE ?

JE SUIS TROP FORTE ! J'AI RÉUSSI À TRAÎNER KA DANS LE MAGASIN DE FRINGUES LE PLUS BRANCHÉ DE LA CAPITALE !!

CE TOP EST SUPERBE SUR VOUS !

À VOTRE PLACE, JE N'HÉSITERAIS PAS UNE SECONDE !

C'EST LE DERNIER QUI ME RESTE !

ÇA VOUS AFFINE LA TAILLE !

VOUS NE TROUVEREZ RIEN DE MIEUX AILLEURS !

VOUS ÊTES D'UNE ÉLÉGANCE FOLLE !

POURTANT Y'AVAIT DES TRUCS HORS DE PRIX !

J'Y CROIS PAS, T'AS RIEN ACHETÉ ?

TU AURAIS DÛ TROUVER TON BONHEUR !

MA SŒUR EST UNE EXTRA-TERRESTRE !

COMMENT T'AS FAIT POUR NE PAS ÊTRE INFLUENCÉE PAR LA VENDEUSE ?

C'EST PAS POSSIBLE, ELLE ÉTAIT HYPER CONVAINCANTE !

QUOI ?

Bonjour, je suis une journaliste de la célèbre émission Zone spéciale. Je réalise un documentaire sur les accros du shopping. Seriez-vous intéressée pour incarner l'héroïne de ce reportage ?

YOUHOU...
JE VAIS DEVENIR UNE STAR INTERNATIONALE DE LA TÉLÉ !

ARRÊTE DE ME BAVER DESSUS, TU VEUX BIEN ?

IL ME FAUT UNE ROBE DE SOIRÉE...

T'EN AS PAS ASSEZ, AVEC TOUTE TA COLLECTION ?

BON... EN PRIORITÉ, IL ME FAUT DES LUNETTES NOIRES POUR QU'ON NE ME VOIE PAS...

MOI AUSSI, J'EN VEUX BIEN UNE PAIRE POUR NE PAS TE VOIR...

ÉCRASE, MISS RABAT-JOIE !

C'EST PAS DE MA FAUTE SI TU AS DÉJÀ TOUT !

ÇA SERAIT TROP BEAU, SI J'AVAIS DÉJÀ TOUT...

HIIIII ! J'AI TROUVÉ CE QUI ME MANQUE : UN GARDE DU CORPS !

VIENS ! ON VA DANS UNE AGENCE DE SÉCURITÉ !

NAN... MAIS DIS DONC, TOI, FAUT PAS TE GÊNER !

ESPÈCE DE SALE PORC ! CE SONT LES POURRITURES DE TON ESPÈCE QUI DÉGLINGUENT LA PLANÈTE !

VOUS SAVEZ QUOI ? JE CROIS QUE JE L'AI AUSSI, MON GARDE DU CORPS !

NOOOOOOOON ?
C'EST PAS VRAI ?

TRAITE-MOI DE MENTEUSE PENDANT QUE TU Y ES !

C'EST GÉNIAL QUE CETTE JOURNALISTE T'AIT CHOISIE, TOI !

WAOU!

ELLE A SÛREMENT DÉTECTÉ EN MOI MON POTENTIEL DE STAR !

CETTE ROBE VOUS VA À RAVIR !

MERCI, MAIS JE NE PEUX PAS EN DIRE AUTANT DE VOUS !

COMMENT VOULEZ-VOUS ATTIRER LA CLIENTÈLE AVEC ÇA ?

ON DIRAIT UN SAC-POUBELLE !

AH BON ?

AVEC LA MORPHOLOGIE QUE VOUS AVEZ, VOUS DEVEZ MISER SUR DES VÊTEMENTS TAILLE HAUTE ET SOULIGNER VOS HANCHES AVEC DES CEINTURES LARGES FAÇON SERRE-TAILLE.

C'EST PLUS SEXY, ÇA VOUS ÉVITERA DE RESSEMBLER À UNE HÔTESSE DE L'AIR EN FIN DE CARRIÈRE...

LES TALONS HAUTS ET FINS, ÇA ÉLANCE VOTRE SILHOUETTE !

WAHOU ! C'EST SUPER CLASSE ! MERCI BEAUCOUP POUR VOS CONSEILS !

S'IL VOUS PLAÎT, MADEMOISELLE, EST-CE QU'IL VOUS RESTE UN 36 DANS CE MODÈLE ?

MAIS... EUH... JE... JE NE SUIS PAS...

C'EST HORRIBLE ! TOUT LE MONDE VA CROIRE QUE JE NE SUIS QU'UNE VULGAIRE VENDEUSE !

OH NON, MARIE-LUNE ! NE T'INQUIÈTE PAS, TU N'ES PAS DU TOUT VULGAIRE !

JE N'OSERAI PLUS JAMAIS ME MONTRER À L'ÉCOLE !

OK... MAIS TAHITI, C'EST PEUT-ÊTRE UN PEU LOIN POUR S'EXILER, NON ?

J'AURAIS PRÉFÉRÉ LA PLANÈTE MARS, MAIS JE NE SUIS PAS SÛRE QUE CE SOIT BIEN ÉQUIPÉ NIVEAU MAGASINS, LÀ-BAS...

ALLONS, DANS QUELQUES SEMAINES TOUT LE MONDE AURA OUBLIÉ...

...ET TU VAS ÊTRE LA STAR DE L'ÉCOLE AVEC CETTE HISTOIRE DE REPORTAGE !

RAISON DE PLUS POUR NE PAS GAFFER !

LA JOURNALISTE A DIT QU'ELLE ALLAIT M'OBSERVER DE LOIN AFIN DE DÉTERMINER SI JE SUIS BIEN LA MEILLEURE SHOPPEUSE !

EUH... MESDEMOISELLES ?...

QU'EST-CE QU'IL Y A ? VOUS NE VOYEZ PAS QUE JE SUIS OCCUPÉE?

C'EST-À-DIRE QUE... VOUS GÊNEZ LE PASSAGE !

GOUCCHI

ET ALORS ? COMMENT VOULEZ-VOUS QU'ON ACHÈTE DES SERVIETTES DE PLAGE SANS LES TESTER ?

NOUS DISONS DONC BIKINIS, LUNETTES DE SOLEIL, PARÉOS, CHAPEAU, CRÈME SOLAIRE, TONGS...

TOUT Y EST, MESDEMOISELLES ! NOUS VOUS SOUHAITONS UN BON SÉJOUR À TAHITI !

OH MY GOD !

AAAAARGL !

C'EST QUOI CE SAC ? JE NE PEUX PAS SORTIR AVEC ÇA !!!

IL EST TROP RIQUIQUI ! C'EST RIDICULE !

Belle & Riche

VALENTINA

Marie-Lune ruinée !!!

Elle sort de chez Valentina les mains vides.

CETTE FOIS-CI, MA VIE EST FINIE !

LE PROBLÈME AVEC LES HABITS D'ÉTÉ, C'EST QUE ÇA NE PREND PAS BEAUCOUP DE PLACE.

IL SUFFIRAIT D'ÉCHANGER TOUT ÇA CONTRE DES FRINGUES PLUS VOLUMINEUSES !

QU'EST-CE QU'ON FAIT ? ON ACHÈTE UNE DIZAINE D'AUTRES MAILLOTS ?

ATTENDS, J'AI UNE MEILLEURE IDÉE...

GÉNIALE, TON IDÉE, MARIE-LUNE, MAIS T'AS PAS L'IMPRESSION QU'ON A OUBLIÉ QUELQUE CHOSE ?

QUOI ?

CHANGER DE DESTINATION !

T'Y CONNAIS RIEN ! SI ÇA SE TROUVE ON VA LANCER UNE NOUVELLE MODE !

LA MISÈRE, LE CHÔMAGE, LA FAMINE...
OK, C'EST HORRIBLE ! MAIS MOI AUSSI PARFOIS
MA VIE EST PLEINE DE DRAMES !!!!

MA PAUVRE CHÉRIE !
QUEL MALHEUR !

QU'EST-CE QUI
S'EST PASSÉ ?

EH BIEN, JE ME BALADAIS
TRANQUILLEMENT DANS UN MAGASIN...

Hiiiiii

...QUAND SOUDAIN JE VOIS UN
SUPER PULL EN CACHEMIRE...

JE LE PRENDS !

VOUS AVEZ
DE LA CHANCE,
C'EST LE DERNIER !

Hiiiiiii

ARRGGL !

... JE DÉCIDE DONC
DE L'ACHETER...

?!

GARDEZ LA MONNAIE !

ET VOTRE TICKET,
MADEMOISELLE ?

PAS LE TEMPS,
MON CHAUFFEUR EST
GARÉ EN DOUBLE FILE !

MAIS EN SORTANT
PAISIBLEMENT DU MAGASIN...

JE TOMBE EN GLISSANT SUR UNE PEAU DE BANANE

RENDS-MOI MON
PULL, PÉTASSE !
J'LAI VU AVANT TOI !

ET VOILÀ COMMENT JE ME
SUIS CASSÉ LE TALON !

OH MY GOD !

DES ESCARPINS
PADRA... FICHUS !
C'EST TROP GLAUQUE !

J'AURAIS PRÉFÉRÉ ME
CASSER LE PIED !

UN OS, AU MOINS,
ÇA SE RÉPARE !

COMMENT PORTER NOS NOUVELLES FRINGUES SANS SE FAIRE PIQUER PAR LA SURVEILLANTE ?

JE NE PEUX PAS RETIRER MA TENUE, ELLE EST GREFFÉE SUR MON CORPS !

POOCHIE INVENTE DES HISTOIRES ABRACADABRANTES !

SI, SI, JE VOUS ASSURE, C'EST LE NOUVEL UNIFORME DE L'ÉCOLE !

ÉGLANTINE BLUFFE À FOND !

JE VOUS RAPPELLE QUE MON PÈRE EST LE ROI ET QU'IL M'A DISPENSÉE D'UNIFORME !

QUANT À ANNE-SO, ELLE SE LA JOUE GRANDE DAME !

MAIS CES MÉTHODES N'ONT JAMAIS FAIT LEURS PREUVES.

METTEZ VOS UNIFORMES ! ET PLUS VITE QUE ÇA !

VESTIAIRE

MOI, J'AI UNE MÉTHODE INFAILLIBLE...

AU SECOURS, AAAH... AAAAH... JE ME SENS MAL !

... UNE MÉTHODE QUI FONCTIONNE À TOUS LES COUPS...

UN MÉDECIN ! VITE ! APPELEZ LE DOCTEUR !

OH MY GOD ! ELLE PORTE UN SOUTIEN-GORGE AZZARA !

OHHHH ! IL EST TROP BOOOOOO !

JE VEUX LE MÊME !

...C'EST LA TECHNIQUE "NI VU NI CONNU, J'T'EMBROUILLE"!

AUJOURD'HUI, J'AI PRIS DEUX DÉCISIONS IMPORTANTES. 1) IL FAUT ABSOLUMENT QUE JE SÉDUISE PIERRE-CHARLES.

TU VEUX BIEN... EUH... ÊTRE... EUH... MON... HUM... CAVALIER... EUH... POUR LA FÊTE DE L'ÉCOLE ?

TU Y VAS AUSSI, ANNE-SO ?

BIEN ENTENDU, C'EST BIEN POUR ÇA QU'IL ME FAUT DE NOUVELLES CHAUSSURES !

ALORS JE VIENS !

OOOOOOH OUUUI !

MOI AUSSI, J'AI UN CAVALIER : MARIE-LUNE, JE TE PRÉSENTE JEAN-DOMINIQUE-LOUIS DE LA MOTTE DE TERRE !

IL EST TROP MOCHE !

C'EST LE COUSIN GERMAIN DU PRINCE DE SPANICIE ET LE FILS UNIQUE DE MARIE-CÉCILE DE BIÈVRES... C'EST UN PRESQUE FUTUR ROI !

C'EST PAS UN BEAU PARTI ?!

DISONS QUE C'EST UN PARTI...

PARCE QUE POUR LE « BEAU », VAUT MIEUX OUBLIER !

GNÉ

OH MY GOD ! AVEC CES CHAUSSURES, JE SUIS PLUS GRANDE QUE TOI !

OH LA HONTE !

DÉSOLÉE, JEAN-DOMINIQUE, MAIS JE NE PEUX PAS ALLER AU BAL AVEC TOI...

TU DOIS CHANGER DE CAVALIER. UNE SUPERBE PAIRE DE CHAUSSURES, ÇA DURE TOUTE LA VIE, TANDIS QU'UN MEC...

DEUXIÈME DÉCISION IMPORTANTE : IL FAUT ABSOLUMENT QUE JE RÉFLÉCHISSE AVANT DE PARLER !!!

MARIE-LUNE, JE SUIS POSITIVEMENT ENCHANTÉ D'ÊTRE VOTRE CAVALIER...

SALETÉS DE GAMINES POURRIES GÂTÉES !!!

HOULÀ... J'AIMERAIS PAS ÊTRE CELLES À QUI ELLE EN VEUT !

ELLES FERAIENT MIEUX DE SE CACHER !

C'EST DE VOUS QUE JE PARLE, BANDE D'ÉCERVELÉES !

J'AI FAIT LES COMPTES ET VOUS AVEZ ENCORE DÉPENSÉ UNE FORTUNE !

TOC TOC

OUF ! SAUVÉES PAR LE GONG !

BONJOUR, "FRINGUES AND CO" POUR VOUS SERVIR !

JE VIENS VOUS PRÉSENTER LA NOUVELLE COLLECTION !

EUH... CE N'EST PAS LE MOMENT, LÀ !

MAIS ? ON AVAIT RENDEZ-VOUS !

QUOI ? LES MAGASINS VIENNENT JUSQU'ICI, MAINTENANT ?

PAS DU TOUT ! MADAME EST MEMBRE DE L'ASSOCIATION LES HABITS DU CŒUR.

ELLE VIENT... EUH... FAIRE UNE COLLECTE DE VÊTEMENTS.

ÇA TOMBE BIEN, ON A PLEIN D'HABITS EN TROP !

TU VOIS QU'ON NE PENSE PAS QU'À ACHETER !

TU POURRAIS NOUS FÉLICITER, AU MOINS, AU LIEU DE FAIRE LA TRONCHE !

JE VOUS SIGNALE QUE CE SONT MES FRINGUES QUE VOUS AVEZ DONNÉES !

ÇA VA NOUS DÉBARRASSER !

DIVIIIIIINE ! TROP BIEN, SON MINI-SHORT ! ET T'AS VU CES JAMBES ? ELLES FONT AU MOINS DEUX MÈTRES !

T'ES FOLLE ! PLUS DE DEUX MÈTRES !

OHHHH MY GOD ! QU'EST-CE QUE C'EST QUE CE SAC À QUATRE SOUS !

Y'EN A QU'ONT PAS HONTE, J'TE JURE !

AU SECOURS, LES CLOWNS SONT DE SORTIE !

IL Y A DES FILLES, JE SUIS SÛRE QU'ELLES NE SE REGARDENT JAMAIS DANS UN MIROIR !!

ALORS LÀ, JE DIS 20 SUR 20 !

ON VOIT TOUT DE SUITE UNE FILLE QUI LIT BELLE ET RICHE !

REGARDE CELLE-LÀ AVEC SES BOTTINES CARDINAL !

BONJOUR L'ORIGINALITÉ !

BON, QU'EST-CE QU'ON FAIT, LES FILLES, ON VA LE VOIR, CE DÉFILÉ DE MODE ?

???

MARIE-LUNE, REGARDE CELLE-LÀ !

BEN... QU'EST-CE QUE TU CROIS QU'ON EST EN TRAIN DE FAIRE, LÀ ?

ANNE-SO M'A OFFERT UN ANIMAL DE COMPAGNIE. TOUTES LES STARS ONT UN CHIEN DE LUXE ! JE DEVAIS ABSOLUMENT EN AVOIR UN...

CE CHIEN NE VOUS A PAS SATISFAITE, MADEMOISELLE ?

JE NE PEUX PAS LE GARDER !

IL A POURTANT DE NOMBREUX TALENTS...

... C'EST UN CHANTEUR HORS PAIR...

WAF WAF WAF WAF WAF WOAF WOUF WAF

TU VAS FAIRE TAIRE CE SATANÉ CHIEN, OUI ? J'AIMERAIS BIEN POUVOIR DORMIR !

IL EST JUSTEMENT EN TRAIN DE CHANTER UNE BERCEUSE !

... C'EST UN GRAPHISTE TALENTUEUX.

JE VAIS LUI DEMANDER DE REFAIRE LA DÉCO DE MA CHAMBRE COMME ÇA, J'ADORE !

T'AS TROP RAISON, L'ART CANIN C'EST SUPER CHIC !

... C'EST UN HUMORISTE IMPLACABLE.

LAQUELLE D'ENTRE VOUS A POSÉ CETTE FAUSSE CROTTE SUR MON SIÈGE ?

QU'IL M'EMPÊCHE DE DORMIR TOUTES LES NUITS, QU'IL SACCAGE L'APPARTEMENT, QU'IL FASSE CACA PARTOUT, ÇA NE ME DÉRANGE PAS...

... MAIS QU'IL N'AIT AUCUN GOÛT VESTIMENTAIRE, LÀ C'EN EST TROP !!!

YERK ! IL A OSÉ ASSORTIR UN CHAPEAU MODÈLE 2009 AVEC DES LUNETTES 2007 !

OH MY GOD ! IL EST COMPLÈTEMENT HAS BEEN !

AUJOURD'HUI J'AI RENDEZ-VOUS AVEC LA JOURNALISTE... TROP GÉNIAL ! JE DOIS M'Y RENDRE EN MÉTRO... AU SECOURS !

COMMENT JE VAIS FAIRE ?!

SI TU NE REVIENS PAS, POURRAIS-TU ME LÉGUER TA COLLECTION DE SACS À MAIN ?

D'ACCORD, MA CHÉRIE, TOUTE MA GARDE-ROBE EST À TOI !

C'EST VRAI QUE LE MÉTRO, C'EST COMME UN PAYS ÉTRANGER !

ZYVA, T'ES TROP BONNE ! J'AI ENVIE DE TE PÉCHO GRAVE !

EUH... SORRY, I DON'T SPEAK YOUR LANGUE !

FINALEMENT, L'ACCUEIL Y EST TRÈS CHALEUREUX !

DE L'ARGENT POUR MANGER S'IL VOUS PLAÎT !

MERCI, VOUS ÊTES TROP CHOU, MAIS JE N'EN AI PAS BESOIN !

L'AMBIANCE EST TROPICALE !

SI JE FERME LES YEUX, J'AI COMPLÈTEMENT L'IMPRESSION D'ÊTRE À UNE SOIRÉE MONDAINE...

LES RESTOS SONT ORIGINAUX, IL N'Y A MÊME PAS DE COUVERTS POUR MANGER !

ET... CERISE SUR LE GÂTEAU: ON PEUT Y FAIRE DU SHOPPING !!!

IL N'Y A RIEN DE PLUS CHER NI DE PLUS GLAMOUR QUE DES TICKETS DE MÉTRO ?

CE QU'IL Y A DE BIEN AVEC LE MÉTRO, C'EST COMME AU RETOUR DES VACANCES, FRIME ASSURÉE AUPRÈS DES COPINES !

TU SAIS QUE MARIE-LUNE A PRIS LE MÉTRO !

NOOOOOOON !

REGARDE CE QU'ELLE M'A OFFERT !

FA–BU–LEUX ! MONTRE CE TICKET ! C'EST LA PREMIÈRE FOIS DE MA VIE QUE J'EN VOIS !

MARIE-LUNE... POUVEZ-VOUS NOUS DIRE DANS QUOI VOTRE PÈRE A FAIT FORTUNE ?

DANS LA LUNE ? AH NON, JE NE SUIS JAMAIS DANS LA LUNE ! EN MATIÈRE DE SHOPPING, IL FAUT AVOIR LES PIEDS SUR TERRE !

HUM... NON, JE VEUX SAVOIR COMMENT VOTRE PÈRE A-T-IL GAGNÉ DE L'ARGENT ?

AH, LES GENS... ILS CRITIQUENT BEAUCOUP LES RICHES ! MAIS JE CROIS QUE C'EST PARCE QU'ILS SONT JALOUX, VOILÀ TOUT !

... MAIS VOTRE PÈRE, IL DIRIGE UNE USINE ?

... EUH... NON, NON, IL N'A PAS D'ANGINE !

JE SUPPOSE QUE C'EST UN HOMME D'AFFAIRES ?

OH OUI, J'AI BEAUCOUP D'AFFAIRES ! JE PENSE QUE JE SUIS LA FILLE QUI POSSÈDE LA PLUS GRANDE COLLECTION DE SACS À MAIN DE LA PLANÈTE !

QUI DONC VOUS PERMET DE VOUS PAYER UNE SI BELLE COLLECTION ?

MON PÈRE, BIEN SÛR !

MAIS SON TRAVAIL, C'EST DANS QUELLE BRANCHE ?

DANS QUELLE BRANCHE ? NON MAIS DITES DONC, C'EST PAS UN SINGE ! IL NE TRAVAILLE PAS DANS LES ARBRES !!!

VOUS SAVEZ QUI C'EST, MON PÈRE ?

BEN NON JUSTEMENT, C'EST CE QUE JE VOUS DEMANDE DEPUIS TOUT À L'HEURE !!!

EUH...

HOULÀ, CE SONT DES RIDES QUE VOUS AVEZ AU COIN DES YEUX ?

HEIN ? OÙ ÇA ? OÙ ÇA ?

HIN HIN HIN !

J'AI PLUSIEURS FOIS FAIT DES TENTATIVES POUR ARRÊTER LE SHOPPING...

CE MOIS-CI, J'AI DONNÉ DE L'ARGENT AUX RESTOS DU CŒUR, AU SECOURS CATHOLIQUE ET À EMMAÜS.

... MAIS JUSQU'À MAINTENANT, ON NE PEUT PAS DIRE QUE ÇA AIT ÉTÉ TRÈS CONCLUANT...

ET MOI, J'AI DONNÉ À CANNEL, ZARO, UNGARA, MAUBADÉ, GUERLOIN.

POURTANT, JE VOUS JURE QUE J'Y AI MIS DE LA BONNE VOLONTÉ !

FERME LA PORTE À CLÉ, COMME ÇA, JE SUIS SÛRE DE NE PAS SORTIR...

À QUOI ÇA SERT QUE JE T'ENFERME SI TU DÉPENSES TON FRIC SUR DES SITES DE VENTE EN LIGNE ?

LA PROCHAINE FOIS, EMPORTE L'ORDI AVEC TOI, ÇA M'ÉVITERA D'ÊTRE TENTÉE...

J'AI MÊME FAIT APPEL À DES PERSONNALITÉS TRÈS IMPORTANTES.

SI LE PRÉSIDENT DES ÉTATS-UNIS ENTRE DANS CE MAGASIN, C'EST SIGNE QUE JE NE DOIS PAS ACHETER CES CHAUSSURES...

C'EST PAS MA FAUTE S'IL EST PAS VENU, LE PRÉSIDENT !

LE SEUL TRUC EFFICACE QUE J'AIE TROUVÉ, CE SONT LES BOULES QUIÈS DE KA.

CE TOP EST SUPERBE SUR VOUS !

À VOTRE PLACE, JE N'HÉSITERAIS PAS UNE SECONDE !

C'EST LE DERNIER QUI ME RESTE !

ÇA VOUS AFFINE LA TAILLE !

VOUS NE TROUVEREZ RIEN DE MIEUX AILLEURS !

VOUS ÊTES D'UNE ÉLÉGANCE FOLLE !

ÇA MARCHE VACHEMENT BIEN... POUR ÉVITER D'ENTENDRE LES REPROCHES DE MA SŒUR...

MA CHÉRIIIIIIIIE, TA ROBE EST DIVIIIIIIIINE !

MERCI MA BELLLLLLE, JE T'ADORE !

MAIS DIS-MOI, TU AS UN TEINT ABSOOOOOOOOOOLUMENT FABULEUX !

HUMMMOUI... JE SAIS ! C'EST MA CRÈME PERLE DE LAIT ! ELLE EST MAGIQUE !

GRRR... TOUTE CETTE HYPOCRISIE, ÇA ME FAIT VOMIR !

TU VEUX UN CACHET ANTI-NAUSÉE ?

TU VEUX VRAIMENT DEVENIR IMPOPULAIRE ? ALORS NE SOIS PAS HYPOCRITE, DIS-LEUR LA VÉRITÉ, À CES GRELUCHES !

SUPER IDÉE ! JE VAIS ÊTRE LA RISÉE DE L'ÉCOLE ! GÉNIAL !

MON CHOU, T'ES LÀ, JE T'AVAIS PAS ENCORE VUE !

TU SAIS QUE TU ES SUPERBE, CE SOIR...

MERCI ! MAIS JE NE PEUX PAS EN DIRE AUTANT DE TOI.

TU AS UN TEINT DE CRAPAUD BRONCHITEUX.

TA ROBE ME DONNE LA NAUSÉE.

ET TA COIFFURE, RASSURE-MOI, ON NE TE L'A PAS FAIT PAYER, J'ESPÈRE ?

GLPS !

BRAVO ! JE NE T'AURAIS PAS CRUE CAPABLE D'UNE TELLE FRANCHISE !

TU Y ES PEUT-ÊTRE ALLÉE UN PEU FORT ! SA ROBE N'EST PAS SI MOCHE QUE ÇA...

ELLE EST MÊME MAGNIFIQUE !

MAIS JE NE SUPPORTE PAS QU'ON SOIT PLUS JOLIE QUE MOI !

31

32

VOUS COMPRENEZ, MARIE-LUNE, VOUS NE CORRESPONDEZ PLUS VRAIMENT AU PROFIL DE LA CANDIDATE IDÉALE !

AH BON ? POURQUOI ?

DEPUIS UN CERTAIN TEMPS, ON NE VOUS VOIT PLUS FAIRE DE SHOPPING...

VOUS RIGOLEZ ?! J'ACCOMPAGNE MA SŒUR TOUS LES DIMANCHES AU MARCHÉ !

VOUS NE FRÉQUENTEZ PLUS DE GRANDS MAGASINS...

ET LODER PRICE ? ET LOCLERC ? ET AUCHOU ? C'EST PAS DES GRANDS MAGASINS, ÇA ?

JE SAIS PAS CE QU'IL VOUS FAUT !

ET PUIS VOTRE LOOK EST UN PEU TRISTOUNET... CHEMISE BIEN REPASSÉE, JUPE PLISSÉE ET CHAUSSETTES HAUTES...

C'EST LE STYLE CLASSIQUE... J'EN SUIS FOLLE !

NON, NON, N'INSISTEZ PAS, CE QUE NOUS CHERCHONS, C'EST UNE VRAIE FASHION VICTIM !

AH BON... TANT PIS ALORS...

YES !!!

FINALEMENT, JE VOUS VEUX QUAND MÊME DANS LE REPORTAGE !

HEIN ? QUE ? MAIS POURQUOI ? QU'EST-CE QUE J'AI FAIT ?

VOUS ALLEZ BIEN TROUVER QUELQU'UN D'AUTRE...

J'ESPÈRE... MAIS... ATTENDEZ...

PARCE QUE VOUS ÊTES TRÈS POPULAIRE !

REGARDEZ, TOUT LE MONDE S'HABILLE COMME VOUS !

GAME OVER !

ELLE NE COMPREND RIEN À RIEN, CETTE JOURNALISTE !

ELLE NE TE CROIT PAS POUR L'UNIFORME DE L'ÉCOLE, C'EST ÇA ?

GRRR

NORMAL ! AVEC LES COPINES, ON L'A CONVAINCUE QUE TU ÉTAIS LA REINE DE L'ÉCOLE !

THE SCHOOL'S QUEEN, MA BELLE !

ÇA N'A PAS L'AIR DE T'ENCHANTER !

SI, SI, C'EST LA JOIE DE VIVRE... SNIF !

BOUHOUH

OH MA CHÉRIE, TU CRAQUES ? T'ES À FLEUR DE PEAU, TOI, EN CE MOMENT...

C'EST TON NOUVEAU DESTIN QUI TE FAIT PEUR ? C'EST NORMAL, VA...

VIENS, ON VA SE FAIRE UN PETIT DÉFILÉ DE MODE, ÇA TE REMONTERA LE MORAL...

WAOH ! ROBE TCHANAL, SAC GOUTCHI, CHAUSSURES MARC JACUBS !...

ELLE A FOUILLÉ DANS MA GARDE-ROBE, C'EST PAS POSSIBLE !!

CANNEL

C'EST VRAI QUE T'ES DOUÉE, POUR ME REMONTER LE MORAL...

BEN QUOI... QU'EST-CE QUE J'AI DIT ?

PADRA

OHHHH MY GOD !

C'EST QUOI CES BOTTES ? ON DIRAIT DEUX VIEUX CANICHES TOUT MITÉS !

J'TE JURE, Y'A DES FILLES QUI N'ONT VRAIMENT AUCUN GOÛT !

CANNEL

TU T'ES CASSÉ UN ONGLE ? HA HA !

NON, HEUREUSEMENT ! MAIS C'EST PAS MIEUX : LA JOURNALISTE M'A CHOISIE POUR ÊTRE LA STAR DE SON REPORTAGE !

ELLE TROUVE QUE JE SUIS LA PLUS JOLIE, LA PLUS FASHION, LA PLUS FUTÉE !

PFFF... C'EST HORRIBLE D'ÊTRE LA MEILLEURE ! TU PEUX PAS TE RENDRE COMPTE !

PAUVRE PETITE FILLE RICHE !

IL FAUT TE CHANGER LES IDÉES. SI ON ALLAIT FAIRE DU SHOPPING ?

HEIN ? RÉPÈTE-MOI ÇA ! TU ES MALADE ? TU VEUX QUE J'APPELLE UN MÉDECIN ?

ELLE EST PAS BELLE, CETTE PETITE JUPE ÉCOSSAISE ?

BOF, JE PRÉFÈRE LA NOIRE.

MOUAIS... JE PRÉFÈRE LES NOIRES.

PFFF... VOUS POUVEZ ME TEINDRE EN NOIR ?

MERCI, SŒURETTE, C'ÉTAIT UNE SUPER IDÉE, CETTE SÉANCE DE SHOPPING ! !

ÇA M'A DONNÉ UNE PÊCHE D'ENFER !

T'AS DE LA CHANCE ! À FORCE DE TE REGARDER, MOI JE COMMENCE À BROYER DU NOIR !

37

AUJOURD'HUI, PREMIER JOUR DE TOURNAGE. GRRRR ! NON SEULEMENT CE REPORTAGE VA CONDUIRE À MA PERTE...

VOUS ENTREZ DANS LE MAGASIN, VOUS FLASHEZ SUR CETTE ROBE ET VOUS L'ACHETEZ.

D'ACCORD ?

AAAARGH... VOUS ÊTES FOLLE ! JE NE PEUX PAS ACHETER CETTE HORREUR !

... MAIS EN PLUS JE DOIS FAIRE DES TRUCS TROP GLAUQUES !

AH NON, JE N'ACHÈTE RIEN À MOINS DE 1000 EUROS !

IL N'Y A PAS LE MÊME EN CACHEMIRE OU EN SOIE ?

VOUS ÊTES FOLLE ! PLUS PERSONNE NE PORTE CE GENRE DE ROBE DEPUIS HIER !

FAITES UN EFFORT, IL Y A BIEN QUELQUE CHOSE QUI DOIT VOUS PLAIRE !

EUH... C'EST-À-DIRE QUE... OUI, J'AI FLASHÉ SUR UNE TENUE, MAIS...

DITES ! DITES ! VOUS ÊTES LA REINE ICI, VOUS AUREZ TOUT CE QUE VOUS VOUDREZ !

ALORS LÀ, J'ACHÈTE SANS REGARDER !

CONTENTE QUE ÇA VOUS PLAISE !

ÇA ME VA BIEN, NON ?

WEEK-END EN AMOUREUX AVEC PIERRE-CHARLES, JE SUIS AU SEPTIÈME CIEL !

BWEEEEURF ! EXCUSE-MOI, J'AI LE MAL DE L'AIR !

QUEL PLAISIR DE SE PROMENER MAIN DANS LA MAIN...

...D'ÊTRE ALLONGÉS TOUS LES DEUX SUR LA PLAGE...

T'AS PAS TROUVÉ PLUS PETIT, COMME SERVIETTE ?

...DE DÎNER AUX CHANDELLES EN TÊTE-À-TÊTE...

TU ME PASSES LE SEL ?

QU'EST-CE QUE TU DIS ?

...DE DANSER VOLUPTUEUSEMENT ET LANGOUREUSEMENT TOUTE LA NUIT...

JE SENS COMME UN VIDE ENTRE NOUS, NON ?

...DE FONDRE NOS LÈVRES EN LONGS BAISERS SENSUELS...

FAUDRA QUE TU RÉVISES TES COURS D'ANATOMIE, TOI !!!

PIERRE-CHARLES, QUE SE PASSE-T-IL ? TU AS L'AIR GÊNÉ, DISTANT.

ON EST BIEN, LÀ, POURTANT, TOUS LES DEUX...

...SEULS AU MONDE !

UNE ROMANCE ! GÉNIAL ! ÇA VA ÊTRE VENDEUR DANS MON REPORTAGE !

JE FAIS TOUT MON POSSIBLE POUR ÉVITER QUE LA JOURNALISTE N'ENTRE EN CONTACT AVEC MON PÈRE. CE N'EST PAS TOUJOURS FACILE...

J'AURAIS BESOIN DE PARLER À VOTRE PÈRE !

IL EST TROP OCCUPÉ... QUELQU'UN DE MA FAMILLE FERA PARFAITEMENT L'AFFAIRE !

MA SŒUR ? PFFF ! C'EST UNE GAMINE POURRIE GÂTÉE !

VOTRE PÈRE AURAIT CERTAINEMENT UN AVIS MOINS TRANCHÉ SUR VOUS !

INTERROGEZ PLUTÔT MES COPINES, ELLES VOUS RENSEIGNERONT BIEN SUR MOI !

VOICI LA COLLECTION COMPLÈTE DU MAGAZINE RAÇONTAGE DE POTINS ! TOUS LES DÉTAILS CROUSTILLANTS DE LA VIE DE MARIE-LUNE Y SONT !

DEPUIS L'ÉCOLE MATERNELLE !

SI JE POUVAIS RENCONTRER VOTRE PÈRE, ÇA APPORTERAIT UN TÉMOIGNAGE POSITIF, VOUS COMPRENEZ ?

VOUS DEVEZ VOIR ANNE-SOPHIE ! C'EST MA MEILLEURE AMIE !

MARIE-LUNE ? JE NE ME LASSERAIS PAS D'EN PARLER !

... LA PLUS DÉVOUÉE... LA PLUS FUN... LA PLUS SINCÈRE... LA PLUS SYMPA... EXCEPTIONNELLE AMIE... DE TOUTE MA VIE...

ÇA SUFFIT ! JE VEUX VOIR VOTRE PÈRE !

OUI, OUI, D'ACCORD, VOUS ALLEZ LE VOIR.

OH LÀ LÀ, FAUT PAS S'ÉNERVER COMME ÇA !

JE VOUS PRÉSENTE L'ÉVÊQUE DE JÉRULE...

BONJOUR MON PÈRE...

BONJOUR MA FILLE...

ALORS, MA FILLE, VOUS VOULIEZ SAVOIR SI MARIE-LUNE AVAIT TOUJOURS BIEN SUIVI LES COURS DE CATÉCHISME, C'EST CELA ?!

MARIE-LUNE, JE VOUS REMERCIE POUR VOTRE COLLABORATION...

JE VOUS ENVERRAI UNE COPIE DU REPORTAGE AVANT SA DIFFUSION À LA TÉLÉ.

OK, MERCI !

AH... ET VOUS FEREZ MES AMITIÉS À VOTRE PÈRE...

MON PÈRE ?

OUI, FINALEMENT J'AI RÉUSSI À LE CONTACTER... IL EST TRÈS SYMPATHIQUE !

C'EST LA FIN DU MONDE !

ELLE SAIT QUI EST MON PÈRE !

ELLE VA RACONTER MON SECRET À TOUT LE MONDE !

JE VAIS MOURIR DE HONTE !

C'EST SIMPLE, SOIT TU ASSUMES, SOIT TU PRENDS LA FUITE !

NON, J'AI UNE AUTRE SOLUTION...

UNE SOLUTION IMPARABLE, TU VAS VOIR !

AÏE-AÏE-AÏE, JE CRAINS LE PIRE !

JE VAIS ME DÉGUISER... HISTOIRE DE PASSER INCOGNITO LE TEMPS QUE LE SCANDALE SE DISSIPE...

DRESSING

VLAM

ALORS ? QU'EN PENSES-TU ? EFFICACE, NON ?

!!!

BEN QUOI ? PERSONNE NE POURRA ME RECONNAÎTRE AVEC UNE ROBE SI RINGARDE !

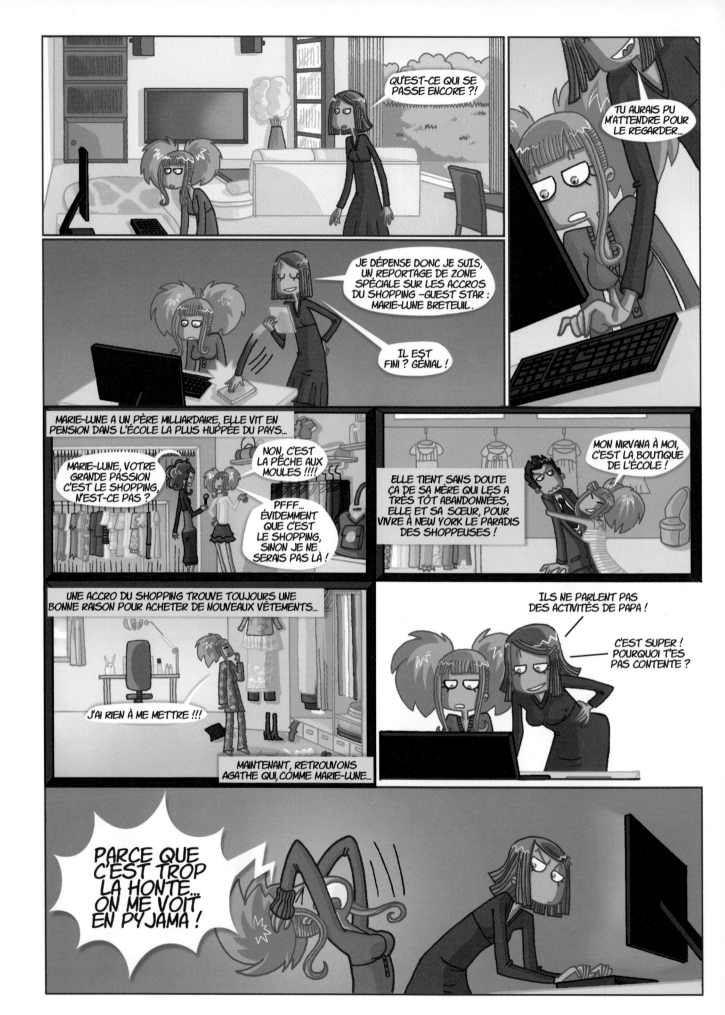

DANS MON ÉCOLE, IL N'Y A PAS QUE L'UNIFORME QUI SOIT SUPER BARBANT, IL Y A AUSSI LES COURS D'ÉCONOMIE...

AVEC UN CHIFFRE D'AFFAIRES DE 730 MILLIONS D'EUROS, NOTRE SOCIÉTÉ DÉTIENT 57 % DE PARTS DE MARCHÉ. C'EST LE PLUS GROS VENDEUR DE PAPIER EN FRANCE.

CHAQUE MOIS, UN PDG VIENT NOUS PARLER DE SON MÉTIER.

AUREZ-VOUS UN JOUR AUTANT DE PLAISIR À ACHETER DU PAPIER QU'UNE CRÈME POUR LE VISAGE ?

C'EST LE PARI DE NOTRE ENTREPRISE !

NOTRE DERNIÈRE INNOVATION, UN PAPIER PARFUMÉ AUX HUILES ESSENTIELLES...

MMMMMH... QUELLE ODEUR EXQUISE !

IL M'EN FAUT POUR ÉCRIRE À MON CHÉRI !

TOUCHEZ LA STRUCTURE DE NOS PAPIERS, SENTEZ CETTE DOUCEUR D'UN MOELLEUX INCOMPARABLE OBTENUE GRÂCE À L'UTILISATION DE FIBRES DE PREMIÈRE QUALITÉ...

C'EST TROP DOUX ! MON CHÉRI VA AVOIR L'IMPRESSION DE ME CARESSER LA PEAU !

POUR SÉDUIRE UNE CLIENTÈLE DE PLUS EN PLUS EXIGEANTE, NOUS AVONS DÉVELOPPÉ UNE LARGE GAMME DE COLORIS TRÈS TENDANCE...

WAAAH, TROP SNOB ! CELUI-LÀ EST ASSORTI À MA JUPE !

IL M'EN FAUT ! IL M'EN FAUT !

MOI AUSSI !

S'IL VOUS PLAÎT, OÙ POUVONS-NOUS TROUVER VOS PRODUITS ?

AU RAYON PAPIER TOILETTE DE LA PLUPART DES SUPERMARCHÉS...

????
COMMENT ÇA ?

EH BIEN OUI... C'EST DU PAPIER HYGIÉNIQUE, MESDEMOISELLES !

YIIIIIRK !

BERK !

OH MY GOD !

ZZZZZZZ ZZZZZZZZ !

QUEL CAUCHEMAR !

UN CAUCHEMAR ? PAS DU TOUT ! J'AI RÊVÉ DE PIERRE-CHARLES ! C'ÉTAIT MERVEILLEUX ! WONDERFUL !

OH MA CHÉRIE, TU AS DE LA CHANCE ! NOUS, ON A VÉCU L'ENFER !

LE PDG D'UNE USINE DE PQ EST VENU ICI !!!

MONSIEUR PIPI-CACA ! LA HONTE !

HEIN ? QUOI ? MAIS... MAIS... MAIS QU'EST-CE QU'IL EST VENU FAIRE ICI ?

UNE CONFÉRENCE SUR L'INDUSTRIE DU PAPIER HYGIÉNIQUE !

COMMENT, A-T-IL OSÉ ?

ÇA C'EST SÛR, IL N'A PAS PEUR DU RIDICULE, CE MEC !

C'EST PAS POSSIBLE ! IL FAUT QUE JE LUI PARLE ! PARTEZ DEVANT, JE VOUS REJOINS !

???

ELLE DOIT AVOIR PEUR QUE LE CONFÉRENCIER L'AIT VUE EN TRAIN DE DORMIR PENDANT SON EXPOSÉ !

ELLE VEUT SÛREMENT FAIRE UN COURS DE RATTRAPAGE, HIN HIN HIN !

ATTENTION, SI JAMAIS VOUS PUBLIEZ CETTE INFO, VOUS AUREZ AFFAIRE À MOI !

SALLE DE CO

BAM !

POUR MOI, L'IMPORTANT, C'EST QUE PERSONNE N'APPRENNE CE QUI SUIT :

COMMENT ÇA VA, MON PETIT ROUDOUDOU D'AMOUR ?

PAPA !!!!

OUF ! PIERRE-CHARLES A ACCEPTÉ DE NE PAS RÉVÉLER LA VÉRITÉ SUR LES ACTIVITÉS DE MON PÈRE !

... EN ÉCHANGE D'UN BAISER D'ANNE-SO.

QUOI ?!

MAIS, MAIS, MAIS... ELLE NE T'AIME PAS !

MAIS, MAIS, MAIS... ELLE NE SORTIRA PAS AVEC QUELQU'UN QUI N'EST PAS DE SON RANG !

MAIS, MAIS, MAIS...

MAIS-MAIS-MAIS, DÉBROUILLE-TOI ! CE N'EST PAS MON PROBLÈME !

HORS DE QUESTION !

S'IL TE PLAÎT, JE NE PEUX PAS TE DIRE POURQUOI, MAIS FAIS-LE POUR MOI !

JE VAIS LUI APPRENDRE À TE FAIRE DU CHANTAGE, MOI !

TU METS CETTE CRÈME ? MAIS ÇA FAIT GONFLER ! RAPPELLE-TOI MON PIED !

JE NE SUIS PAS ALLERGIQUE, MOI ! ELLE HYDRATE SUPER BIEN LES LÈVRES. J'ADORE ! C'EST TROP SNOB !

BON, EUH... ET SINON... ALORS... C'EST D'ACCORD POUR PIERRE-CHARLES ?

VLAM

TU ME SOÛLES, AVEC TON PIERRE-CHARLES !

AUJOURD'HUI, J'AI APPRIS UNE CHOSE TRÈS IMPORTANTE AU SUJET D'ANNE-SO...

PIERRE-CHARLES, ANNE-SO REFUSE DE T'EMBRASSER !

NON, C'EST TROP DIRECT !

PIERRE-CHARLES, FERME LES YEUX ET IMAGINE QUE JE SUIS ANNE-SO !

PFFF... TROP NAZE !

... C'EST QUE C'EST UNE VRAIE AMIE !

AH ! ON DIRAIT QUE TU AS VU ANNE-SO, TOI ?

POURQUOI TU DIS ÇA ?

FIN

Douzé/Yllya 18/12/2008